D0811440

Amour est un sentiment étrange qui nous lie mystérieusement à quelqu'un sans que l'on puisse vraiment expliquer pourquoi ou comment. Il est fait de mille subtilités, de mille détails imperceptibles qui font que notre sensibilité est tout à coup exacerbée par la seule présence de cette personne unique qui transfigure notre réalité. Si vous vous sentez en pleine possession de vos moyens, sûr de vous e

ous vous plaignez d'un nœud dans l'estomac, vos proches soupçonneront que l'amour est la cause de tous vos malaises. C'est ainsi, ce sentiment si exaltant nous plonge le plus souvent dans un état paradoxal où la joie et la tristesse se côtoient sans cesse. Mais, même en proie aux pires doutes quant à la sincérité de l'Autre, l'amoureux ne changerait de place pour rien au monde. Nous l'avons tant cherchée

...Amour est un sentiment étrange qui nous lie mystérieuse...
quelqu'un sans que l'on puisse vraiment expliquer pourquoi ou comm...
Il est fait de mille subtilités, de mille détails imperceptibles qui font...
notre sensibilité est tout à coup exacerbée par la seule présence de c...
personne unique qui transfigure notre réalité. Si vous vous sentez...

xaltant nous plonge le plus souvent dans un état paradoxal où la jo...
à tristesse se côtoient sans cesse. Mais, même en proie aux pires do...
quant à la sincérité de l'Autre, l'amoureux ne changerait de place...
rien au monde. Nous l'avons tant cherchée, cette émotion aiguë qui...
abite enfin, que nous sommes prêts à faire face aux pires tourm...

HISTOIRE
D'AMOUR

Ce livre appartient à

© 2000 Les Publications Modus Vivendi Inc.
Tous droits réservés

Publié par:
Les Publications Modus Vivendi Inc.
3859, autoroute des Laurentides
Laval (Québec) Canada H7L 3H7

Montage de la couverture: Marc Alain

Crédits photographiques: © 1997 Wood River Gallery et Superstock

Dépôt légal: 3e trimestre 2000
Bibliothèque nationale du Québec
Bibliothèque nationale du Canada
Bibliothèque nationale de France

Données de catalogage avant publication (Canada):
Therrien, Laurette
    Histoire d'amour
    (Collection Émotions)
    ISBN 2-89523-030-7
    1. Amour. 2. Amour - Ouvrages illustrés.
    I. Titre. II. Collection.
BF575.L8.T46 2000   142.4'1   C00941188-7

Canada Nous reconnaissons l'aide financière du gouvernement du Canada par l'entremise du Programme d'Aide au Développement de l'Industrie de l'Édition (PADIÉ) pour nos activités d'édition.

HISTOIRE
D'AMOUR

Laurette Therrien

Modus Vivendi

« Ah! que le temps vienne
Où les cœurs s'éprennent. »

Arthur Rimbaud

L'Amour est un sentiment étrange qui nous lie mystérieusement à quelqu'un sans que l'on puisse vraiment expliquer pourquoi ou comment. Il est fait de mille subtilités, de mille détails imperceptibles qui font que notre sensibilité est tout à coup exacerbée par la seule présence de cette personne unique qui transfigure notre réalité.

Si vous vous sentez en pleine possession de vos moyens, sûr de vous et capable de déplacer des montagnes, vos amis croiront sans doute que vous êtes tombé amoureux. De même, si vous avez l'air torturé ou mélancolique et que vous vous plaignez d'un nœud dans l'estomac, vos proches soupçonneront que l'amour est la cause de tous vos malaises.

C'est ainsi, ce sentiment si exaltant nous plonge le plus souvent dans un état paradoxal où la joie et la tristesse se côtoient sans cesse. Mais, même en proie aux pires doutes quant à la sincérité de l'Autre, l'amoureux ne changerait de place pour rien au monde. Nous l'avons tant cherchée, cette émotion aiguë qui nous habite enfin, que nous sommes prêts à faire face aux pires tourments pour la garder intacte et pour en savourer à chaque instant toutes les délices.

Quand on a le cœur qui palpite, on se dit que les frissons de plaisir que l'amour nous procure valent bien quelques inquiétudes, et que l'incertitude n'est rien comparée au vide, à l'absence d'Amour.

L.T.

Les Bijoux

La très chère était nue, et, connaissant mon cœur,
Elle n'avait gardé que ses bijoux sonores,
Dont le riche attirail lui donnait l'air vainqueur
Qu'ont dans leurs jours heureux les esclaves
des Mores.

Quand il jette en dansant son bruit vif et moqueur,
Ce monde rayonnant de métal et de pierre
Me ravit en extase, et j'aime à la fureur
Les choses où le son se mêle à la lumière.

Elle était donc couchée et se laissait aimer,
Et du haut du divan elle souriait d'aise
A mon amour profond et doux comme la mer,
Qui vers elle montait comme vers sa falaise.

Les yeux fixés sur moi, comme un tigre dompté,
D'un air vague et rêveur elle essayait des poses,
Et la candeur unie à la lubricité
Donnait un charme neuf à ses métamorphoses;

Et son bras et sa jambe, et sa cuisse et ses reins,
Polis comme de l'huile, onduleux comme un cygne
Passaient devant mes yeux clairvoyants et sereins;
Et son ventre et ses seins, ces grappes de ma vigne.

S'avançaient plus câlins que les Anges du mal,
Pour troubler le repos où mon âme était mise,
Et pour la déranger du rocher de cristal
Où, calme et solitaire, elle s'était assise.

(...)

Je croyais voir unis par un nouveau dessin
Les hanches de l'Antiope au buste d'un imberbe,
Tant sa taille faisait ressortir son bassin.
Sur ce teint fauve et brun, le fard était superbe!

Et la lampe s'étant résignée à mourir,
Comme le foyer seul illuminait la chambre,
Chaque fois qu'il poussait un flamboyant soupir,
Il inondait de sang cette peau couleur d'ambre!

Charles Baudelaire

Le Baiser

« Un baiser, mais à tout prendre, qu'est-ce?
Un serment fait d'un peu plus près, une promesse
Plus précise, un aveu qui veut se confirmer,
Un point rose qu'on met sur l'i du verbe aimer;
C'est un secret qui prend la bouche pour oreille,
Un instant d'infini qui fait un bruit d'abeille,
Une communion ayant un goût de fleur,
Une façon d'un peu se respirer le cœur,
Et d'un peu se goûter, au bord des lèvres, l'âme! »

Edmond Rostand
Cyrano de Bergerac, extrait

« L'amour n'est pas seulement un sentiment,
il est un art aussi. »

Balzac

Extase

« Je tombai dans ses bras ivre d'amour et de bonheur, et pendant sept heures je lui donnai les preuves les plus positives de mon ardeur et du sentiment qu'elle m'inspirait. Elle ne m'apprit rien à la vérité sous le rapport matériel; mais beaucoup en soupirs, en transports, en extases, en sentiments de nature à ne se développer que dans une âme sensible dans les instants les plus doux. Je variai la jouissance de mille manières et je l'étonnai en la faisant se reconnaître susceptible de plus de plaisir qu'elle n'en soupçonnait. »

Casanova, *Mémoires*

Saviez-vous que...

Le monde entier connaît le nom de Casanova, et beaucoup s'imaginent que l'intrigant courtisan n'est qu'un personnage de roman, alors qu'il a bel et bien existé et qu'il fut le propre artisan de sa célébrité.

Giovanni Giacomo Casanova de Seingalt (1725-1798) était un Italien d'expression française. Aventurier, il traversa tous les pays d'Europe en exerçant mille métiers, dont mémorialiste, soldat, diplomate, financier, publiciste, agent secret, bibliothécaire.

Casanova collectionnait les conquêtes amoureuses. Il doit d'ailleurs sa grande renommée à la relation de ses amours débridées dans une autobiographie intitulée: *Mémoires*, ou *Histoire de ma vie*, une confession érotique et joyeuse empreinte d'une grande liberté, qui fut publiée pour la première fois intégralement au début des années 1960. (Cf. *Le Robert 2*)

Saviez-vous que...

De tout temps, le langage des fleurs a été celui de l'amour

- L'Ancolie est reconnue pour ses pouvoirs aphrodisiaques; abusez, abusez!
- La Belle-de-nuit est un symbole de pudeur et de timidité, qui l'eut cru?
- Le Chèvrefeuille est la fleur des amours éternelles;
- La Clématite est le symbole du désir;
- Le Coquelicot est la fleur des amours de passage, des relations éphémères, pourquoi pas?
- Le Fushia est un symbole d'ardeur amoureuse, il dit: « Je vous aime follement! »
- L'Hibiscus est la fleur aux couleurs vives du désir sexuel exacerbé et brûlant!
- Le Jasmin symbolise la volupté, l'ivresse et l'abandon total; en un mot, l'extase!
- Le Magnolia est le symbole de la fidélité et de l'érotisme;
- L'Orchidée est la fleur par excellence de la fécondité masculine et de la créativité;
- La Rose, partout en Occident, est le symbole inégalé de l'Amour et des aveux;
- Le Volubilis est une fleur sensuelle à souhait qui symbolise le baiser.

Je suis allée cueillir des fleurs
Pour ma maison, pour mes amours
Elles sont la joie et le soleil
Elles sourient, elles te ressemblent
Je ne serai pas seule
Aujourd'hui

L.T.

Amour Amour

Leur résistance ayant atteint ses limites, ils s'étaient donné un rendez-vous clandestin. De l'huile jetée sur le feu qui couvait depuis leur première rencontre au bistro où il travaillait comme garçon de table.

Ils étaient jeunes, presque beaux, et ils auraient pu être insouciants, si la fatalité ne les avait catapultés dans une vie qui ne leur ressemblait pas. Ils ne partageraient pas grand-chose, ils en étaient conscients, mais ils avaient la ferme intention d'étancher une soif qui ne pouvait trouver son exutoire que dans cette liberté qu'ils s'octroyaient enfin, émus et étonnés, incrédules devant la brutalité de la situation qui les entravait tout en les poussant dans les bras l'un de l'autre.

Ils ne s'étaient pas fait de promesse, il ne serait jamais question de promesses. Ils s'étaient seulement avoué ce besoin urgent de se laisser porter par l'élan vital du désir brut. Un désir à assouvir absolument, quittes à se perdre, quittes à en mourir.

La chambre était petite, obscure et modeste, mais c'était leur moindre souci. Ils se seraient aimés n'importe où, parce que c'était la première fois, mais surtout, parce qu'ils savaient que ce serait la dernière. C'était écrit.

On les retrouva le lendemain soir, enlacés dans l'étreinte infinie de la mort, cadeau ultime des amants éblouis.

L.T.

L'Amour et la Beauté

« Le ciel, à ce que vous dites, m'a faite belle, de telle sorte que, sans pouvoir vous en défendre, ma beauté vous force de m'aimer; et, en retour de l'amour que vous avez pour moi, vous dites et vous prétendez que je suis tenue de vous aimer. Je reconnais bien, par l'intelligence naturelle que Dieu m'a donnée, que tout ce qui est beau est aimable; mais je ne puis comprendre que, par la raison qu'il est aimable, ce qui est tenu comme beau soit tenu d'aimer ce qui l'aime, d'autant mieux qu'il pourrait arriver que ce qui aime le beau fût laid; or le laid étant digne de haine, il vient mal à propos de dire: Je t'aime parce que tu es belle; tu dois m'aimer quoique je sois laid. Mais supposons que les beautés soient égales; ce n'est pas une raison pour que les désirs soient égaux, car de toutes les beautés ne naît pas l'amour: il y en a qui réjouissent la vue sans soumettre la volonté. »

Cervantes, *Don Quichotte de la Manche*

« Quand une femme est fidèle, on l'admire; mais il y a des femmes modestes qui n'ont pas la vanité de vouloir être admirées. »

Marivaux

« Les hommes ne veulent jamais distinguer entre la constance et la fidélité. »

Balzac

« Je t'aimais inconstant, qu'aurais-je fait fidèle? »

Racine

L'Amour

« J'aime! – Voilà le mot que la nature entière
Crie au vent qui l'emporte, à l'oiseau qui le suit!
Sombre et dernier soupir que poussera la terre
Quand elle tombera dans l'éternelle nuit!
Oh! vous le murmurez dans vos sphères sacrées,
Étoiles du matin, ce mot triste et charmant!
La plus faible de vous quand Dieu vous a créées,
A voulu traverser les plaines éthérées,
Pour chercher le soleil, son immortel amant,
Elle s'est élancée au sein des nuits profondes;
Mais une autre l'aimait elle-même, et les mondes
Se sont mis en voyage autour du firmament. »

Musset

La Fleur d'Adonis

« Si quelque soin vous tient
de vous rendre immortelle,
Et de voir votre nom sur la terre estimé,
Rendez-vous à l'Amour, ne soyez plus rebelle,
Si je fleuris encore c'est pour avoir aimé. »

Malleville

« On est beaucoup plus heureux, et on sent
quelque chose de bien plus touchant, quand
on aime violemment, que lorsqu'on est aimé. »

Religieuse portugaise

Un Aveu à Celui…

Tu étais tout :

Ma plume au vent
Mon erre d'aller
Mon ivresse des profondeurs
Ma folie des grandeurs
Mon baume du tigre
Ma tournée d'automne
Ma corde raide
Ma pensée magique
Ma moutarde au nez
Ma prunelle des yeux
Mes mille et une nuits
Mes floralies
Mon chinook
Mon blizzard
Ma tornade
Ma fin de siècle
Tu étais l'orchidée blanche de la femme en
déroute et ma fleur de macadam.
Coulé dans le béton. Armé.
Et moi désarmée. Coulante.

Tu étais tout :

Ma chair écarlate
Mon fruit juteux giclant
Mes yeux de non voyant.
Un Titan, puis un tyran.
Celui-là je ne l'avais pas vu venir.

Tu étais tout.

L.T.

Œuvres de Chair

Vous lui avez téléphoné au travail, il n'avait pas une minute à lui, débordé comme à l'accoutumée, croulant sous le sérieux de la tâche à accomplir. Il vous a semblé distant, peu disponible, puis il a hésité avant de vous dire que c'était impossible, pas maintenant, avant de raccrocher en vous promettant de passer demain.

Mais vous connaissez la force vitale, la violence de la pulsion que vous venez de provoquer. Votre voix, votre souffle dans le récepteur, l'urgence de votre désir lui sont allés droit au sexe, et il n'arrivera plus à se concentrer sur le boulot à abattre.

Sûre de vous, confiante, vous êtes restée assise à côté du téléphone qui n'a pas tardé à sonner de sa sonnerie la plus insistante. Sa voix n'est plus la même, altérée par ce désir foudroyant qui l'a pris par le milieu; il arrive!

Pas une minute à perdre. Ce sera la fête… et le festin!

Désirs et délices

Un vin rouge bien corsé et capiteux ou son Porto préféré…

Quelques fromages, les plus riches, les plus onctueux:
- un brie ou un brebiou bien fondant, comme vous quand il est là;
- un gorgonzola que vous aurez couché sur une feuille de laitue;
- un petit chèvre de lait cru juste à point, sur un lit de roquette jeune et tendre;

et puisque vous aviez tout prévu depuis la veille, une généreuse salade de calmars ou de cœurs de palmier dans une vinaigrette aromatisée au fenouil.

**N'ayez crainte de faire des excès.
En amour, la gourmandise a bien meilleur goût!**

Toi, Moi…

- Qu'est-ce qui te ferait plaisir? Des perles, un diamant?
- Tu ne m'auras pas comme ça, dit la femme en tournant les talons.
- Mais je suis fou de toi, répond l'homme aux abois, je ne badine pas…
- Tu me parles de bague au doigt! Ça manque un peu d'éclat.
- Pourquoi pas un mariage d'amour? Une croisière aux Marquises, un voyage de noces à Bora-Bora?
- La corde au cou, moi? N'y pense même pas! Le mariage c'est l'ennui, je mérite mieux que ça!
- Mais alors quoi? Je ne te comprends pas.
- Parle-moi d'un bon repas, d'une table bien mise, de bougies et de fleurs. Parle-moi de folie, parle-moi de frissons, de délices et d'ébats. Parlons de gourmandises, d'huîtres et de chocolat; de champagne, de caviar, de vins fins, de dessert au nougat. Parlons d'excès de table, parlons d'excès de chair. Offre-moi d'abuser de ton corps tout en léchant les plats, je t'ouvrirai les bras et les cuisses et bien d'autres portes qui mènent à l'Au-delà, tu n'imagines pas!

(à suivre...)

… et petits plats

Brochettes de crevettes et pétoncles marinés

- 200 g/1^1/$_2$ tasse de grosses crevettes fraîches
- 200 g/1^1/$_2$ tasse de gros pétoncles frais
- 1 tasse de jus de palourdes
- 2 c. à soupe de jus de limette
- 6 gouttes de Worcestershire
- poivrons rouges, jaunes et verts en cubes

1. Dans un plat de verre d'environ 3 cm de profondeur, verser le jus de palourdes, le jus de citron et la sauce Worcestershire.
2. Mariner pétoncles et crevettes décortiquées dans le jus pendant 1 heure.
3. Passer ensuite à l'écumoire et mettre la marinade de côté.
4. Enfiler les fruits de mer et les poivrons sur des brochettes de bois trempées au préalable et badigeonner de marinade.
5. Cuire sous le gril entre 3 et 5 minutes.
6. Servir sur un lit de riz ou de nouilles aromatisées au pesto.

POUR DESSERT: ne vous fatiguez pas, gardez vos forces pour plus tard… Passez à la pâtisserie fine la plus proche et exigez les meilleurs caprices au chocolat qui soient, onctueux et croquants à la fois, genre Nougatine, Palais royal, Mandarin ou Opéra.

Fantasmes masculins

Votre homme vous a avoué qu'il fantasmait sur telle actrice ou telle chanteuse à la mode. Ne vous en offusquez pas. C'est normal et cela ne porte pas à conséquence. Au contraire! Les femmes que les hommes s'inventent sont toujours disponibles, jeunes, magnifiques et expertes dans les jeux de l'amour. Mais vous avez un avantage de taille: vous êtes réelle et près de lui. C'est à vos approches qu'il répond, c'est vous qu'il touche, vous qu'il désire. Accordez-lui ses fantasmes et faites-lui part des vôtres. Cela vous rapprochera.

Fantasmes féminins

L'imaginaire des femmes est différent de celui de leurs partenaires masculins, mais beaucoup d'entre elles affirment que les fantasmes les aident à atteindre l'orgasme. L'amant virtuel qui les possède au clair de lune sur une plage ou dans un lieu interdit est toujours l'amant idéal! Les hommes ne doivent pas s'en formaliser: le seul fait d'imaginer ce partenaire dépourvu de déficiences et sans maladresse dans un décor de rêve, permet aux femmes de s'abandonner et d'atteindre plus facilement l'orgasme.

« La pruderie est une espèce d'avarice, la pire de toutes. »

Stendhal

« L'amour physique, si injustement décrié, force tellement tout être à manifester jusqu'aux moindres parcelles qu'il possède de bonté, d'abandon de soi, qu'elles resplendissent jusqu'aux yeux de l'entourage immédiat. »

Proust

Sur l'Étreinte

« Baise m'encor, rebaise-moi et baise:
Donne m'en un de tes plus savoureux,
Donne m'en un de tes plus amoureux:
Je t'en rendrai quatre plus chauds que braise. »

Louise Labé (extrait)

Toi

Ton sexe frais
Comme une chute
Et tes baisers salés
Me font vibrer
Et je rechute
Je suis ensorcelée!

L.T.

« Et! quel mal fais-je, je vous prie, quelle offense
commets-je, en disant à une belle créature, quand
je la rencontre: *Prêtez-moi la partie de votre corps
qui peut me satisfaire un instant, et jouissez, si cela
vous plaît, de celle du mien qui peut vous être
agréable?* »

Sade
Les Prospérités du Vice

Le Visage du Désir

Ce matin, assis seul sur la terrasse ensoleillée, j'ai senti monter en moi le désir de ta chair. Ce fut une sensation foudroyante, le passage du glacial au brûlant. Incapable de faire quoi que ce soit parce que la pensée de tes formes me hantait, je me suis remémoré chaque trait de ton visage enveloppé dans le halo de ton âme et je t'en ai désirée davantage. J'ai aussitôt ressenti un besoin viscéral de te voir, de te toucher, de plonger mon regard dans le tien et de te prendre dans mes bras pour me rassurer sur ton existence, sur la réalité de cette rencontre qui a changé ma vie et mon idée de l'éternité. C'est à cet instant que j'ai compris que c'est le visage, plus que n'importe quelle autre partie du corps de l'autre, qui inspire le désir dans ce qu'il a de sublime et d'inaltérable. C'est à cet instant que j'ai compris que tu serais ma vie.

L.T.

« Que ton amour a de charmes,
Ma sœur, ma fiancée.
Que ton amour est délicieux… Plus que le vin!
Et l'arôme de tes parfums,
Plus que tous les baumes! »

La Bible, Le Cantique des Cantiques

« Dieu a fait le coït, l'homme a fait l'amour. »

Edmond et Jules de Goncourt

Le Dernier Rendez-Vous

« Lorsque tu seras vieux et que je serai vieille,
Lorsque mes cheveux blonds
seront des cheveux blancs,
Au mois de mai, dans le jardin qui s'ensoleille,
Nous irons réchauffer
nos vieux membres tremblants.
Comme le renouveau mettra nos cœurs en fête,
Nous nous croirons encor de jeunes amoureux,
Et je te sourirai tout en branlant la tête,
Et nous ferons un couple adorable de vieux.
Nous nous regarderons, assis sous notre treille,
Avec de petits yeux attendris et brillants,
Lorsque tu seras vieux et que je serai vieille,
Lorsque mes cheveux blonds
seront des cheveux blancs.
(…) »

Edmond Rostand et Rosemonde Gérard (extrait)

« Le cœur n'a pas de rides. »

Mme de Sévigné

« Amour! Toi qui nous charmes! (…)
Tu nous tiens par la joie, et surtout par les larmes;
Jeune homme on te maudit, on t'adore vieillard. »

Hugo

Les Matins Langoureux d'Aphrodite

Champagne et jus d'orange

Vous avez mis au réfrigérateur vos plus belles flûtes à champagne, histoire de les bien refroidir avant d'y verser, en quantités égales, le jus d'orange frais et le champagne bien frappé.

Pamplemousse au four

- 1 pamplemousse à la chair fraîche et rosée
- 50 g/¼ tasse de cassonade dorée
- 2 c. à thé de beurre non salé
- 2 grosses fraises juteuses entières

- Couper le pamplemousse en deux.
- Au milieu de chaque moitié, mettre 1 cuillerée à thé de beurre.
- Recouvrir de cassonade dorée.
- Dans un plat beurré, faire dorer au four à 180ºC (350ºF), environ 10 minutes.
- Garnir d'une grosse fraise rouge et juteuse à souhait.
- Servir sur une feuille de laitue pour le plaisir des yeux.

N.B. Allez-y de toutes les fantaisies qui vous passent par la tête... sans oublier les corps.

« Sous toute douceur charnelle un peu profonde, il y a la permanence d'un danger. »

Proust

Perdu, Éperdu

J'ai fait un grand détour
J'ai monté, descendu
Montagnes et coteaux
Traversé, combattu
Rivières et rapides
J'ai enjambé les buttes en travers du sentier
Escaladé, tombé, revenue sur mes pas
Tourné en rond trois fois
J'ai couru, j'ai traîné
Je me suis tue, j'ai crié
Attendu, patienté
Il y avait un arbre géant sur mon chemin
J'ai grimpé pour voir un peu plus loin
Quelque chose a craqué
J'ai cru te retrouver
J'ai vu des yeux de lynx
Comme les tiens, vivants
J'ai continué ma route
Retraversé le lac, la colline, la savane
Dégringolé le pic
Mon cœur était à vif
Depuis le petit matin
Tu devais être loin
Il faisait nuit déjà
Je revins sur mes pas
Aux portes du jardin
Tout à coup je t'ai vu
Tu étais calme et fier
Des fleurs plein les bras
Et tu me souriais
Ému de mon émoi

L.T.

Le Cantique des Cantiques

Que tu es belle, ma bien-aimée,
que tu es belle!
Tes yeux sont des colombes,
derrière ton voile;
tes cheveux comme un troupeau de chèvres,
ondulant sur les pentes de Galaad.
Tes dents, un troupeau de brebis tondues
qui remontent du bain.
Chacune a sa jumelle
et nulle n'en est privée.
Tes lèvres, un fil d'écarlate
et tes discours sont ravissants.
Tes joues, des moitiés de grenade,
à travers ton voile.
Ton cou, la tour de David,
bâtie en forteresse.
Mille rondaches y sont suspendues,
tous les boucliers des preux.
Tes deux seins, deux faons,
jumeaux d'une gazelle
qui paissent parmi les lis.

La Bible (extrait)

« La beauté est belle; la passion, l'amour absolu
sont plus beaux et plus adorables. »

De Govineau

Le Léthé

Viens sur mon cœur, âme cruelle et sourde,
Tigre adoré, monstre aux airs indolents;
Je veux longtemps plonger mes doigts tremblants
Dans l'épaisseur de ta crinière lourde;

Dans tes jupons remplis de ton parfum
Ensevelir ma tête endolorie,
Et respirer, comme une fleur flétrie,
Le doux relent de ton amour défunt.

Je veux dormir! dormir plutôt que vivre!
Dans un sommeil aussi doux que la mort,
J'étalerai mes baisers sans remords
Sur ton beau corps poli comme le cuivre.

Pour engloutir mes sanglots apaisés
Rien ne me vaut l'abîme de ta couche;
L'oubli puissant habite sur ta bouche,
Et le Léthé coule dans tes baisers.

A mon destin, désormais mon délice,
J'obéirai comme un prédestiné;
Martyr docile, innocent condamné,
Dont la ferveur attise le supplice,

Je sucerai, pour noyer ma rancœur,
Le népenthès et la bonne ciguë
Aux bouts charmants de cette gorge aiguë
Qui n'a jamais emprisonné de cœur.

Baudelaire

Nana

« (...) Maintenant, sa figure et ses bras étaient faits. Elle ajouta, avec le doigt, deux larges traits de carmin sur les lèvres. Le comte Muffat se sentait plus troublé encore, séduit par la perversion des poudres et des fards, pris du désir déréglé de cette jeunesse peinte, la bouche trop rouge dans la face trop blanche, les yeux agrandis, cerclés de noir, brûlants, et comme meurtris d'amour. Cependant, Nana passa un instant derrière le rideau pour enfiler le maillot de Vénus, après avoir ôté son pantalon. Puis, tranquille d'impudeur, elle vint déboutonner son petit corsage de percale, en tendant les bras à madame Jules, qui lui passa les courtes manches de la tunique. (...)
Le prince, les yeux à demi clos, suivit en connaisseur les lignes renflées de sa gorge. (...) »

Zola, *Nana*

« Aimer est un mauvais sort comme ceux qu'il y a dans les contes, contre quoi on ne peut rien jusqu'à ce que l'enchantement ait cessé. »

Proust

« C'est étonnant comme la jalousie, qui passe son temps à faire des petites suppositions dans le faux, a peu d'imagination quand il s'agit de découvrir le vrai. »

Proust

'Amour est un sentiment étrange qui nous lie mystérieuseme
quelqu'un sans que l'on puisse vraiment expliquer pourquoi ou c
ment. Il est fait de mille subtilités, de mille détails imperceptibles qui
que notre sensibilité est tout à coup exacerbée par la seule présence
cette personne unique qui transfigure notre réalité. Si vous vous se
en pleine possession de vos moyens, sûr de vous et capable de dépla
des montagnes, vos amis croiront sans doute que vous êtes to
amoureux. De même, si vous avez l'air torturé ou mélancolique et
vous vous plaignez d'un nœud dans l'estomac, vos proches soupç

des montagnes, vos amis croiront sans doute que vous êtes to
amoureux. De même, si vous avez l'air torturé ou mélancolique et
vous vous plaignez d'un nœud dans l'estomac, vos proches soupç
eront que l'amour est la cause de tous vos malaises. C'est ainsi
sentiment si exaltant nous plonge le plus souvent dans un état parado
où la joie et la tristesse se côtoient sans cesse. Mais, même en proie
ires doutes quant à la sincérité de l'Autre, l'amoureux ne changerai
place pour rien au monde. Nous l'avons tant cherchée, cette émotion a